21 ~ 23

21~23

지요환 시집

작가의 인사말

안녕하세요. 지요환입니다.

토끼띠인 제가 계묘년을 맞아 세웠던 여러 가지 목표 중 하나가 책을 출판하는 것이었습니다. 강릉에서 떠오르는 해를 보며 막연하게 꿈꿨던 이 책을 서울에서 올해와 함께 마무리를 짓고 있자니 신기하면서도 마음이 벅차오르네요.

이 책은 제가 21살부터 23살까지 썼던 시들을 모아 놓은 책입니다. 3년간 쓴 100여 편의 시 중 47편을 추려 삽화와 함께 담았습니다. 나이가 들면서 변하는 시의 분위기나 문체를 보시면, 조금 더 재미있게 읽으실 수 있지 않을까 생각해 봅니다.

또한, 세 명이 힘을 합쳐 삽화를 제작하였는데, 시를 최대한 풍성하고 다양한 각도로 보실 수 있게끔 디자인하였습니다. 글과 그림을 함께 감상해 주시면, 감사하겠습니다.

하지만, 혹시나 이 책이 마음에 들지 않으신다면, 표지 뒷면에 냄비 받침을 넣어놨으니 그렇게라도 잘 사용해 주시면, 감사하겠습니다.

이제 슬슬 글을 마무리하려 하는데요.
문득 저의 이야기만 하다 보니 이 글을 읽고 계신 여러분의 이야기도 궁금하네요.

여러분은 어디에 있고 언제인가요?

저는 지금 입김이 나오는 초겨울인데

이 책을 읽고 계신 당신의 계절은 어떤 계절인가요?

따스한 봄바람이 부는 봄인가요?

뜨거운 열기를 품은 여름인가요.

선선한 가을인가요?

시린 겨울인가요.

이 책을 읽고 계신 여러분의 계절이 참 궁금하네요.

어떤 계절이든 이 책이 여러분에게 너무 차갑지도, 뜨겁지도 않았으면 좋겠습니다.

마지막으로, 이 책이 나올 수 있게끔 도와준 병주와 종훈이에게 고맙고, 어떠한 형태로든 도움을 주신 모든 분께 감사드립니다.

2023년 11월 지요환

차례

23 103

21

줄이다

너에게 가고 싶은 생각

너를 챙기고픈 마음

너와 함께 있는 꿈

너를 위해

계속 줄이는 중이야

익숙한 지루함

같은 시간, 같은 장소, 같은 사람

익숙하다 못해

이제는 조금

지루해졌다고 느껴졌을 때

그것은 그저 똑같은 것이 아니라

변함없었다는 것을

우리 사이가 변하고 나서야

깨닫게 됐어

워커홀릭

누구나 혹사를 당하면
지치기 마련인데

왜 너에 대한 내 마음은
지칠 줄 모르는 걸까

꺾
이
다

누군가에게 꺾일 바에

내가 꺾을래

그게 좀 덜 비참하겠지

남겨진 오후

오후 2시
눈을 떠보니 벌써 오후 2시였다

아직 하루가 길다는 생각에
그 하루보다 긴 한숨을 내쉰다

아직 남아있는 오후

하지만 나는 왜 지나버린 오전이 더 아쉬운 걸까

나는 왜 지나버려야만 소중함을 아는 걸까

그렇게 한숨만 내쉬다
남겨졌던 오후마저 지나가 버렸을 때

내일은 다르겠지하며
어제와 똑같은 이불을 덮는다

엉덩이

엉덩아 미안해

너로 이름을 써서 부끄러움을 주고

혼날 때면 너를 내밀고

다리가 아프면 너를 짓눌러버리고

열이 나면 날카로운 바늘로

너를 찔러버려서

내가 미안해

엉덩아 미안해

떡국

따끈한 떡국이 나왔다

혹여나 데일까 후후 불며
떡과 함께 작년을 삼킨다

무엇인가를 떠나보낼 때 아쉬움이 남는다면
그것은 좋은 이별이 아니다

올해 떡국은 간이 좀 덜 된 것인지는 모르겠지만

이 진한 아쉬움이 아쉽다

이불

난 너에게 이불이고 싶어

네가 춥다면 너를 감싸
나의 온기를 주고 싶어

난 너에게 이불이고 싶어

부끄러운 생각이 나면 발로 차고
슬픈 일이 있으면 눈물, 콧물 다 묻혀도 되니까
나에게 의지해줬으면 좋겠어

난 너에게 이불이고 싶어

잘 때 네가 끌어안듯
나를 꼭 안아줬으면 좋겠어

난 너에게 이불이고 싶어

난 너의 사랑이고 싶어

마음에 들다

너의 단점마저
내 마음에 들 때

넌 이미 내 마음에
들어있었어

마음에 들다

너의 단점마저
내 마음에 UN 해

넌 이미 내 안에
들어있 있어

서랍

나에게는 서랍이 있다

그 서랍은 3개의 칸으로 이루어져 있는데

맨 위에 서랍에는 현실이 담겨있고

중간에는 걱정

맨 마지막에는 꿈이 있다

하지만 왜인지 마지막 서랍은 열리지 않는다

그 서랍에 무게 때문인지

아니면 그 위에 서랍들 무게 때문인지

서랍은 열리지 않는다

다시 돌아갈 방법이 없다

낙오라고도 생각할 수 있다

하지만 난 왜 이 상황에 웃음이 나오는걸까

"오빠 차 끊겼대"

-막차-

소나기

차라리 소나기처럼
짧게

차라리 소나기처럼
굵게

너를 처음 봤을 때처럼
그때처럼

그렇게 왔다가 가면 되잖아

그런데 왜

소나기로 왔다가

장마로 끝나는 거야

나는 장마인 줄도 모르고

우산을 챙기지 못했단 말야

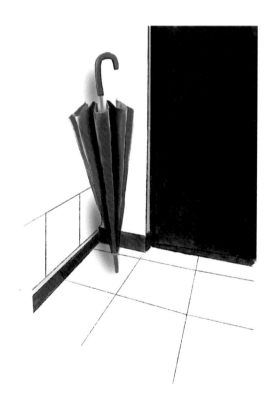

편지

오랜만에 집 정리를 하다가
너와 쓴 편지를 봤어

거기엔 우리의 순간순간이
녹아 들어 있었어

처음 손을 잡았던 그 설렘

처음 입을 맞췄던 그 달콤함

처음 함께했던 우리의 잠자리

모든 것이 처음이었고

또 모든 것이 달콤했었던 우리

나도 모르게 번지는 웃음을 뒤늦게 발견했을 때

우린 편지를 쓴 게 아닌

사랑을 저장했다는 것을 알 수 있었어

음악

일과가 끝난 후
너무 지쳐
내가 걷는 건지
땅이 나를 미는 건지
잘 모를 때쯤
나는 음악을 듣는다
내가 듣는 음악은
기분을 전환해주는 댄스곡이기도
따뜻한 말로 나를 감싸주는 발라드이기도
마음을 편하게 해주는 클래식이기도 하다
.
.

"여보세요? 내 말 듣고 있어?"

어 덕분에 잘 듣고 있어

생각이 나서

아니 그냥
고깃집 보니까
너 생각이 나서

아니 그냥
아이스크림 먹는데
너 생각이 나서

아니 사실
너 생각만 해서
너 생각이 나더라

22

여유

지저귀는 새소리를 듣고

미처 잡지 못해
흘러 들어온 햇빛이
나를 깨울 때

이불을 올려버릴 수도
등을 돌려버릴 수도 있지만

이 모든 게 그냥

그냥 다 좋아서

나는 가만히 이 순간을 즐기는 중이야

연

세상에는 두 가지 연이 있다

하나는 인연이고

하나는 우연이다

이 둘은 서로 닮아 있어

가끔 서로의 옷을 바꿔 입고 찾아온다

이들의 장난에 넘어가지 않으려면

모두 소중하게 대해줘야 한다

그래야 그 무엇도 놓치지 않으니까

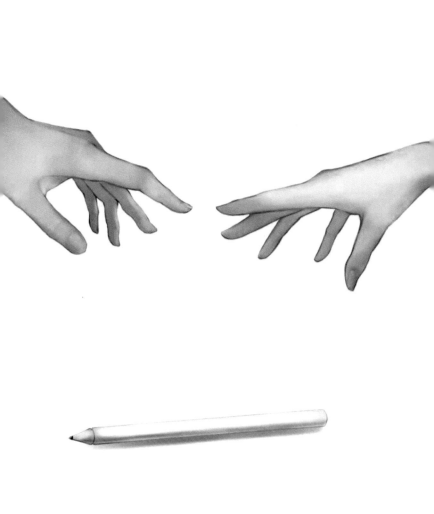

척

나는 여러 옷이 있다
이쁜-
멋진-
잘난-
아는-
.
.

옷이 가벼울수록 나를 잘 가릴 수 있다
이쁜- 옷은 가벼워 단점을 잘 가릴 수 있고
아는- 옷은 무거워 밑천이 금방 드러난다

그중 제일 무거운 옷은 괜찮은-인데
옷이 너무 무거워
어깨가 내려가고 표정이 안 좋아져
다른 사람들에게 다 드러나 버린다

그렇지만 나는 이 옷을 벗을 수 없다
발가벗은 내 모습을 보면
다들 놀라고 걱정할 테니까

그래서 난 오늘도 나가기 전 옷매무새를 다잡으며
어쩌면 내 옷보다 무거운
어깨와 입꼬리를 억지로라도 올려본다

어떻게 기억할까

어떻게 기억할까
울고 있던 너를 두고
싸늘하게 떠나간 그날
뒤도 안 돌아보고 가는 내 뒤통수를 보며
너는 그날을 어떻게 기억할까
.
.
.

사실 그날
몇 번이나 돌아설까
돌아서서 너를 꼭 안고
흐르는 눈물을 닦아줄까
아니면 같이 눈물 흘리며
우리의 아픔을 같이 씻어낼까
이런 고민을 수십, 수백 번 했던 나를
너는 알았을까?
네가 알았다면 그날을 어떻게 기억할까
아니 어떻게 기억됐어야 했을까

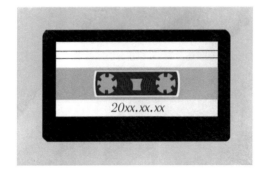

20xx.xx.xx

스쳐 가다

지나가는 바람마저도
꽃향기를 머금는데
나에게 모든 것이었던 넌
어땠을 것 같니

그런 우리 관계를
그저 스쳐 지나가는 인연이라고
말하는 너를 보며
정말 가볍게 뱉는 그 말처럼
우리 사이도 가벼웠다면
바람에 몸을 실은 꽃향기같이
스쳐 지나갈 수 있었을 텐데

반대말

기분 나빠도

반대로 말하고

불편해도

반대로 말하고

힘들어도

반대로 말해서

마음도 반대가 돼버렸어

시간

우리에게 현재란 있을까?

오늘 먹은 아침밥도

방금 들은 노래도

게다가 끄적였던 이 글도

다 지나간 과거인데

우리에게 현재란 있을까?

그렇다면 우리는 어디에 있는 걸까

미래도 과거도 아닌

그 어중간한 순간에

우리는 놓여 있는 것 같다

그 어중간한 순간에서 미래를 바라보고

과거를 회상하며 살아간다

익숙한 것

잠버릇이 고약하지만

언제나 덮여 있는 이불처럼

식탁에는 언제나 방금 한

따뜻한 국과 뽀얀 윤기를 띠는 밥처럼

늦는다 싶으면

언제나 울리는 내 핸드폰처럼

익숙하다 못해 당연하게 느껴진

나를 이루는 모든 것들이

익숙해지지 않아졌을 때

그제야 감사함이 느껴져

왜 감사함은 익숙해지지 않는 건지

또 익숙한 후회를 한다

엄마
보고싶어. 집에 언제와??

기분 탓

내가 기분이 안 좋으면
예민한 거고
속 좁은 거고
기분 탓인 거지
그러게 진짜 내 기분 '탓'이다
너 잘못이 아니니까
탓할 거는 내 기분밖에 없다
내 기분 탓이다

탓 [탇]

① 주로 부정적인 현상이 생겨난 까닭이나 원인

② 구실이나 핑계로 삼아 원망하거나 나무라는 일

마음을 열다

똑똑
계속해서 노크를 했어

너와 마주치려고
주변을 맴돌기도

주웠다는 말과 함께
퉁명과 사탕 하나를 같이 주기도

추워 보이는 너에게
내 온기가 담긴 자켓을 벗어주기도 했어

그런 노크 소리가 시끄러웠는지
아니면 반가웠던 것인지는 모르겠지만
너는 문을 열어줬고
나는 덕분에 너의 마음에 들어갔어

부끄러움

좋아 죽겠어
좋아 죽겠는데
좋아 죽겠다 하면
너무 속물처럼 보이니까
부끄럽다는 포장지로 감싸는 거야

몇 마디

보랏빛의 밤하늘을 녹여 은은함을 담은 말보다
형형색색의 무지개를 둘러 화려한, 그런 말보다
노란 꽃향기를 실어 생기발랄한 그런, 그런 말보다

조금은 딱딱할 수도
조금은 건조할 수도
조금은 재미없을 수도 있는
그런 말일지라도
하얀, 그런 순백한 눈처럼
아무 꾸밈없는 그런 몇 마디의 말을 듣고 싶다

봄
비

비가 와서
나도 모르게 눈살을 찌푸렸다
눅눅하기도 하고
습하기도 하고
무엇보다 누가 우는 것 같아
나는 비가 싫었다

그런 나에게 날이라도 알려주려는 듯
누군가 비에 꽃향기를 묻혀 보냈다
나는 그제야 그 내음을 맡으며
봄이 왔구나
봄이 왔어 하며
우산 밖으로 손을 뻗었다
다는 싫어도 조금은
봄을 허락하고 싶어서

흉터

한순간의 선택
그 선택으로 인해 상처가 남고
그 상처가 깊으면
지워지지 않는 흉터로 남는다

내 선택으로
넌 상처가 났고
그로 인해
흉이 지고 말았다
하지만 그 흉터는
나에게는 보이지 않아
너만 그것을 보면서
살아간다

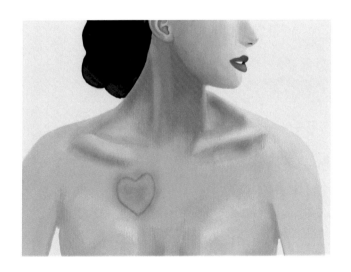

놓았거나 놓쳤거나

내가 이 줄을
놓았을까 놓쳤을까
팽팽했었던, 하지만 이제는 늘어진
마치 처음부터 늘어졌던 것처럼
아무 힘이 없는 이것을
나는
놓았을까 놓쳤을까

뭐 어떻든 지금은 내 손에 쥐어져 있지도 않고
팽팽했던 기억은 어디 갔는지
그 기억이 애초에 있긴 했었는지
지금은 그저 죽어있는 듯 누워있는
그 줄을 바라보며
차라리 끊어졌다면
하고 그 줄을 나 혼자 정리한다

불안정

한 발로 중심을 잡아보고
핸들에 한 손을 떼보고
너와 낀 깍지를 풀어봤다

그러자 너무 불안정해져
다시 두 발로 서고
다시 두 손으로 핸들을 잡아보기도 했지만
내 옆에 있던 너는 이제 없어서
나는 너무 불안정한 상태가 되었다

밀려오다

나는 밀려왔다
내가 원해서
네가 원해서가 아닌
무엇인가에 떠밀려
이렇게 실려 왔다
들숨과 날숨으로 이루어진
차디찬 호흡에
내 몸을 맡겨
어딘지 모르는
아무도 모르는
외딴섬으로
이렇게 밀려왔다
여기엔 너도 없고
거기엔 나도 없다
누구를 위해선지
누가 그랬는지
아무도 모르고
아무것도 모른다
그냥 그렇게
나는 밀려왔다

어두워지면

이 밤이 어두워지면
내 모습을 감출 수 있겠지

내 모습을 지우고
내 체취를 감춰
나를 지우고
또 지우고 싶다

그렇게 지우고 지우다 보니
어느새 날이 밝아와
낮이 뒤늦게 모두를 비춰보지만

나는 더 이상 남아있지 않다
향기도 모습도

그릇

'사람마다 그릇은 정해져 있다'

나에게도 그릇이 정해져 있을 수도

다른 사람의 그릇은 대야처럼 넓지만
내 그릇은 밥그릇처럼 작을 수도 있다

하지만 그 넓은 대야에는 아무것도 들어있지 않고
밥그릇에는 고봉밥처럼
내용물이 꽉 채워져 있을 수도 있다

그러니 내 그릇이 어떻든 안을 꽉 채워 넣고 싶다

사람마다 그릇이 정해져 있어도

안에 무엇을 담을지는 그 사람이 결정하는 거니까

작은 움직임

내 안의 작은 움직임이

그 움직임은 나의 의지를

그 의지는 나의 행동으로

그 행동은 결국 결과로

그 결과는 다시 작은 움직임을 낸다

흐르는 대로

흐르는 대로
아무 저항 없이
아무 희망 없이
그저 흐르는 대로
흘러가다 보면
편해질까

차라리

차라리 저기 걸린 나뭇가지처럼
너무 차갑고 버티기 힘들더라도
흐름에 저항하며 살고 싶다

새로고침

"하 너무 힘들어"
"얘랑은 잘 안 맞는 것 같아"
"진짜 헤어질까 봐"
하지만 카톡 하나에 새로고침 되는 너를 보며
새로고침인지
다시 망가짐인지
모르겠네

구름 사이로

저 구름 사이로
새어 나오는 게 빛일지
아니면 축축한 물일지
아니면 무서운 번개일지는 아무도 모른다

그렇다고 그게 뭐가 되었든
그건 구름의 잘못도 덕분도 아니다

빛이 나오면 따뜻한 빛을 쬐면 되고
비가 오면 우산을 펼쳐 비를 막으면 되고
번개가 치면 자리를 얼른 피하면 된다

구름 사이를 보면서
뭐가 내릴지 항상 지켜보는 것이 아니듯
그냥 그것을 마주하면 된다

그것이 조금 따뜻할 수도
차갑고 따가울 수도 있다

하지만 그것은 구름의 잘못이 아니다

하지만 그것은 우리의 잘못도 아니다

잠들기 전에

잠들기 전에 불을 끄고
얼른 생각을 덮는다
많이 따뜻할 줄 알았는데
안 덮은 것보다 춥다

오늘 있었던 일부터
10년 전까지
꽝꽝 얼어서 내 몸을 감싼다
오래 지났으면 이제 녹았을 만한데
날이 갈수록 더 차가워지는 것 같다
그렇게 추위에 떨다가 잠에 든다
깨어나면 조금 따뜻해졌기를

내버려두다

날 좀 내버려둬라
너의 그 지겨운 잔소리도
쏟아지는 관심도
기대 섞인 눈빛도
다 거둬두고 나 좀 내버려둬라

그런 나를
밖에 쓰레기를 내놓듯 내다 버려줘
비를 맞아도
찬 바람이 불어도
신경 쓰지 말고 내버려 줘

너의 사랑을 다 받지 못한
내 죄라 생각하고 견딜게
너도 나를 벌 하듯
가차 없이 나를 내버려 줘

모래성

한 사람이 멀리 떠나거나
잠시 멀어질 때
기다리는 사람은
그 자리에 앉아서
모래성 게임을 해
모래성 게임 알지?
모래성을 쌓고 깃발을 꽂은 후
조금씩, 조금씩
모래를 가져가는 거야
그러다가 깃발이 툭.
하고 쓰러지면 끝나는 게임
그렇게 모래성 앞에 앉아
그 사람을 기다려
기다리다가
그렇게 기다리다가
조금 힘들면 모래를 스윽 가져와
또 기다리다가
하염없이 기다리다가
너무 힘들면 또 스윽 가져와
이렇게 반복하다가

깃발이 툭.

떨어지면
그러면 가버려

그 사람이 자리를 훌훌 털어낼 수도
아니면 조금 그 자리를 맴돌 수도 있지만
결국 떠나가
그러다 떠났던 사람이 다시 돌아왔을 때
힘없이 떨어진 깃발을 보겠지
그렇다고 기다렸던 사람을 원망하지 마
모래성을 쌓을 모래는 네가 줬던 거니까

나이

마냥 어렸던 내가
어른이 된 느낌이 들었을 때는
전에는 아무렇지 않게 했던
"나중에 밥 한번 먹자"
"우리 연락하자"
라는 말에 무게감을 느꼈을 때다.

사탕

넌 나한테 사탕 같았어
무엇보다 달콤하고
우는 아이의 울음도 그치게 해주는
그런 사탕 같았어

근데 그런 네가 가버리자
그 아이는 다시 울고
입안에는 쓴맛만 자리 잡게 되었어
넌 나에게 사탕 같았어
달콤했던 그 순간에 감사해

고마워

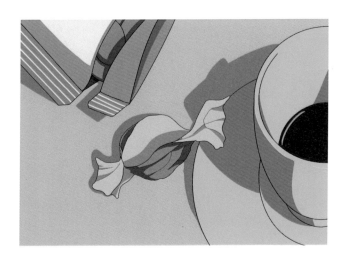

23

비

비가 와요

모든 걸 씻겨 내릴 비가

나도 모든 게 씻겨 내릴 수 있다면

몇 번이고 비를 맞을 텐데

욕심

나는 욕심쟁이야

이런 나로 너를 탐했으니까

너는 욕심쟁이야

이런 나라도 갖고 싶어 하니까

어린이날

오늘은 어린이날
항상 우리들의 세상일 줄 알았는데
벌써 한 걸음 떨어져서
남의 것을 보듯 하고 있다
아직 나는 어린애 같은데
어린이날은 남의 날인 것 같다

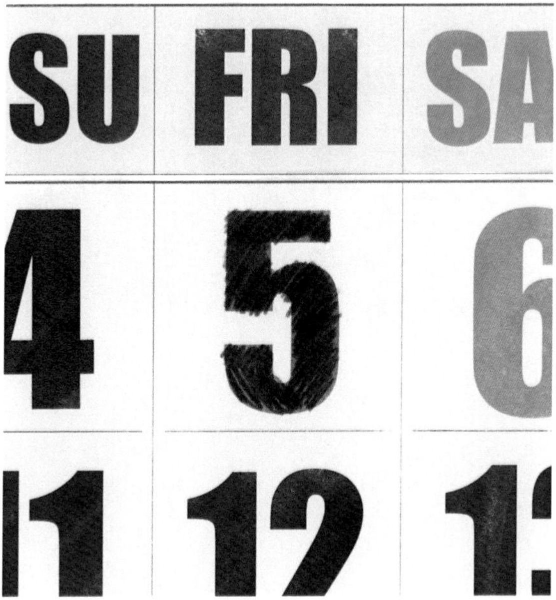
SU
FRI
SA
4
5
6
12

고독

'고독을 즐긴다'
즐겁지 않은 고독을 즐기려면
얼마나 마음이 외로워야 할까

문득 홀로 방에서
이런 시를 쓰고 있는 나를 보니
나도 꽤 외롭나 보다

21~23

발   행 | 2023년 12월 06일
저   자 | 지요환
펴낸이 | 한건희
펴낸곳 | 주식회사 부크크
출판사등록 | 2014.07.15.(제2014-16호)
주   소 | 서울특별시 금천구 가산디지털1로 119 SK트윈타워 A동 305호
전   화 | 1670-8316
이메일 | info@bookk.co.kr

ISBN | 979-11-410-5765-7